歷代名畫記

欽定四庫全書

歷代名畫記卷八

　　　　　　　唐　張彥遠　撰

陳

顧野王字希馮吳郡人七歲通五經善屬詞能書畫長畢習在梁為中領軍時宣城王為揚州野王善畫王褒善書俱為賓友時號二絶入陳為鳴儒天象地理無不官至黃門侍郎年六十三贈右衛將軍　見陳書

歷代名畫記　卷八

後魏

蔣少遊樂安博昌人敏慧機巧工書畫善畫人物及雕刻雖有才學常在剞劂繩墨之間園湖城殿之側識者歎息少遊坦然以為已任不告疲勞官至將作大匠太常少卿前將軍都水兼此四官贈龍驤將軍青州刺史讜曰質見後魏書時有郭善明俟文和柳儉閱文和郭道典竝以巧思稱

彥遠以德成而上藝成而下鄙亡德而有藝也君子依仁游藝周公多才多藝貴德藝云兼也苟亡德而有藝雖執廝役之勞

又何興歡乎楊乞德封新鄉侯歸心釋門施身入寺善

畫佛像價陵雲度

王由字茂道善書畫摹畫佛像為時所服官至東萊太

守 見後
魏書

祖班者東魏人善畫 見三國
典畧

北齊

高孝珩世宗第二子封廣寧郡王尚書令大司徒司州

牧博涉多才藝嘗於廳事壁上畫蒼鷹覩者疑其真鳩

崔不敢近又畫朝士圖當時絕妙為周師所虜授開封

縣侯孝珩亦善音律周武宴齊君臣自彈琵琶命孝珩

吹笛 見北
齊書

蕭放字希逸梁武帝猶子也為本朝著作郎入齊待詔

詞林館善丹青因於宮中監諸畫工帝令采古來麗美

詩及賢哲充畫圖帝甚善之與楊休之同撰御覽加鎮

東大將軍散騎常侍 見北
齊書

楊子華 中品 世祖時任直閤將軍員外散騎常侍嘗畫

卷八

馬於壁夜聞蹄齧長鳴如索水草圖龍於素舒卷輒雲

氣縈集世祖重之使居禁中天下號為畫聖非有詔不

得與外人畫時有王子沖善棋通神號為二絕見北齊書閤

立本云自像人已來曲畫其妙簡易標美多不可減少

不可踰其唯子華乎僧悰云在孫下田上李云在上品

田僧亮下品官至三公中郎將入周為常侍當時之名高

張下鄭上斛律金像北齊貴戚游苑圖宮苑人物屏風鄴中百戲獅猛圖並傳於代

於董展僧悰云挺特生知不由師授田家一種古今獨

絕在楊子華下董展其流彥遠以僧亮畫意類於展而

寶蒙云非獨田家眾藝皆妙楊孫之次

不如展之精密也李云田楊聲實與董展相伴備通形似田氏

野服柴車名為絕筆與楊契丹同在工品董展之下

劉殺鬼品下與楊子華同時世祖俱重之畫鬪雀於壁間

帝見之為生拂之方覺常在禁中錫賚鉅萬任梁州刺

史見北齊書 詞苑傳

曹仲達本曹國人也北齊最稱工能畫梵像官至朝散

大夫 國朝宣律師撰三寶感通記 載仲達畫佛之妙頒有靈感 具 僧悰云曹師於袁

馬於壁夜聞啼齧長鳴如索水草圖龍於素舒卷輒雲
氣縈集世祖重之使居禁中天下號為畫聖非有詔不
得與外人畫時有王子冲善棋通神號為二絕（見北齊書）閻
立本云自像人已來曲盡其妙簡易標美多不可減少
不可踰其唯子華乎僧悰云在孫下田上李云在上品
張下鄭上（斛律金像北齊貴戚游苑圖宮苑人物屏風鄴中百戲獅猛圖並傳於代）
田僧亮（下品）官至三公中郎將入周為常侍當時之名高
於董展僧悰云拔特生知不由師授田家一種古今獨

絕在楊子華下（竇蒙云非獨田家擅名亦楊鄭之次董展其流亦遠以僧亮畫意趣於展而
不如展之精密也）李云田楊積實與董展相伴備通形似田氏
野服柴車名為絕筆與楊共同在上品董展之下
劉殺鬼（下品）與楊子華同時世祖俱重之畫鬬雀於壁閒
帝見之為生拂之方覺常在禁中錫賚鉅萬任梁州刺
史（見北齊書高殷傳）
曹仲達本曹國人也北齊最稱工能畫梵像官至朝散
大夫（國朝宣律師撰三寶感通記具載仲達畫佛之妙頗有靈感）僧悰云曹師於袁

氷寒於水外國佛像亡競於時　盧思道斛律明月慕容

臨軒對武騎名　紹宗等像弋獵圖齊武

馬圖傳於代

殷英童善畫兼楷隸

高尚士品中　徐德祖　曹仲璞下品　巳上三人並是當

時名手

後周

馮提伽北平人也官至散騎常侍兼禮部侍郎志尚清

遠後避周末之亂傭畫於拜汾之間寶蒙云寺壁皆有

歷代名畫記　卷八　四

合作風格精密動若神契彥遠按提伽之迹未甚精密

山川草樹宛然塞北車馬為得意人物非所長

隋

閻毗榆林盛樂人工篆隸善丹青當時號為臻絕周武

帝時拜儀同三司隋帝愛其才藝令侍東宮數以雕麗

之物取悅於皇太子拜東宮騎將軍煬帝令毗修輦輅多

所損益與宇文愷參詳故實並推巧思官至朝散大夫

將作少監　見隋書時有何稠宇林劉龍

龍弟袞並有巧思絕世過人

古今名畫品

評

山川草木蟲魚鳥獸車馬意入番亦能畫身

合乎風谷喜密連古味書集老弱奏昌小村

圖蒲林涵樂入工發善中青當者親善繪圖左

帝皆拜爲同三臣普帝愛集本藝合村東宫變之離寵

少壺致衆發皇太毛羊東總送希令仰貪華辭受

朱貴道樂字女貴發華茂寶近和此馬官至障道大夫

朱有少遇諸樂廉益庵已馬衆中圖人馬前香者有官蘇宇林盟讀

泣懃諧圖家之儐畫善孫紹少間寶蒙公者繼者家

毀誤明北平八中官至婚媚常襄豐者都媚志尚善

　美圖

都尚士

高尚士　品中　斜超耳　品下　曹中業　日士三八益長當

娘英童善畫集智務

遠圖亂給外

胡棟健虎飄色

朱寒谷水平圖善孫亦若務　衆宇卷善此難圖齊虎

遠圖亂給　盧恩遊繪舞邵氏墓客

展子虔　中品

歷北齊周隋在隋為朝散大夫帳內都督

僧悰云觸物留情備皆妙絕尤善臺閣人馬山川咫尺

千里李云董展同品董有展之車馬展亡董之臺閣　法華

變白麻紙長安車馬人物圖弋獵圖雜宮苑南郊白畫
王世充像北齊後主幸晉陽圖朱買臣覆水圖並傳於　華

代

物後來冠晃蒦擅名家在孫尚子上李云伏道張門謂

長社縣子入隋授中散大夫僧悰云取法張公備該萬

鄭法士　中品上　在周為大都督左員外侍郎建中將軍封

之高足鄰幾靚奧其體而微氣韻標舉風格遒俊麗組

歷代名畫記　卷八　　五

長纓得威儀之樽節柔姿綽態盡幽閒之雅容至乃百

年時景南鄰北里之娛十月車徒流水浮雲之勢則金

張意氣玉石豪華飛觀層樓間以喬林嘉樹碧潭素瀨

糅以雜英芳草必曖曖然有春臺之思此其絕倫也江

左自僧繇已降鄭君是稱獨步在上品楊子華下孫尚

子上　鄭公各有形似識者方辨之禽盧明月像阿育王

按鄭法輪鄭德文袁昂陳善見劉烏閻立本皆師

像陳玄英像貴戚屏風洛中人物車馬入隋文帝入佛堂

像北齊畋遊像揚素賀若弼像並遊春苑圖並傳於代

彦遠以李大夫所評鄭在楊下此非兄當鄭合在楊上

法士弟法輪 中品上　李云屬意溫雅用筆調潤精密有餘

高奇未足興馬之際難與比肩比其兄為劣及其闘臺

苑恣登臨羅綺如春芳菲似雪亦為絶塵也僧惊云法

輪精密有餘不近師匠全範士體先圖寺壁本效張公

為步不成諒非高雅前賢品第以此失之

法士子德文 中品中　李云筆迹纎懦英靈銷歇與法輪劉烏

同

孫尚子 上品中　睦州建德縣尉僧惊云師模顧陸骨氣有

餘鬼神特所偏善婦人亦有風態在法士下子華上實

蒙云鞍馬樹石法士不如與顧陸異迹豈獨鬼神而已

李云孫鄭共師於張鄭則人物樓臺當雄霸伯孫則魈

魈魈魈參靈酌妙善為戰筆之體甚有氣力衣脈手足

木葉川流莫不戰動唯頰髮獨爾調利他人效之終莫

能得此其異態也在上品鄭下董展上 美人圖屋宇 鬼神傳於代

董伯仁 中品上　汝南人也多才藝鄉里號為智海官至光

歷代名畫記

卷八

禄大夫殿中將軍僧悰云綜步多端尤精位置屏障一

種亡愧前賢在陳善見下寶家云樓臺人物曠絶今古

雜畫巧瞻高視孫田万變化何止屏風一種孝云

董與展皆天生縱任亡所祖述動筆形似畫外有情足

使先輩名流動容變色但地處平原闕江山之助跡參

戎馬少簪裾之儀此是所未習非其所不至若較其優

劣則欣戚笑言皆窮生動之意馳騁弋獵各有奔飛之

狀必也三休輪奐董氏造其微六轡沃若展生居其駿

董有展之車馬展亡董之臺閣汝南今多畫迹是其絶

思石泉公王方慶觀之而歎曰向使展董二人與江東

諸子易地而處張懐巳降咸應病之鑒者以為知言初

董與展同名入隋室一自河北一自江南初則見輕後

乃頗采其意古來詞人亦有此累

田家圖隋文帝工　周明帝畋游圖雜畫
臺閣樣彌勒變弘農

霞名馬圖傳於代

楊契丹上品官至上儀同僧悰云六法備該甚有骨氣

山東體制先屬伊人在閻立本下　寶云契丹之迹非不
雜富比之董展則之

精微李云田楊聲侔董展昔田楊與鄭法士同於京師光

明寺畫小塔鄭圖東壁北壁田圖西壁南壁楊畫外邊

四面是稱三絕楊以筆歛畫處鄭竊觀之謂楊曰鄉畫

終不可學何勞郭歛楊特託以婚姻有對門之好又求

楊畫本楊引鄭至朝堂指宮闕衣冠車馬曰此是吾畫

本也田是鄭深歎服 光明寺後為大雲寺 今長安懷遠里也 又寶刹寺一

壁佛涅槃變維摩等亦為妙作與田同品 隋朝正會圖 辛洛陽圖豆

盧寧像貴戚游宴

圖雜佛變傳於代

劉烏品下僧惊云師於鄭屏郭有功其於綿密獨越倫輩

李云學於鄭不少風格但未適耳

陳善見品下僧惊云准的於鄭道媚溫潤則不及之裝孝

源云二閣袁陸張之外學者陳善見王知慎之流萬得

其一固未及於風格尚汲汲於形似今之所蓄皆善見

寫搨都非楊鄭之真矣

江志中品僧惊云筆力勁健風韻頹挫模山擬石妙得其

真

李雅品下為滕王庫直秦王或云僧悰云神氣抑揚獨越倫伍

聖僧形制是所九工實云佛像鬼神法士以下僧繇之

亞契丹善見未可比之

王仲舒品下僧悰云北面孫公風骨不逮精熟潤媚推於

名輩

閻思光品下　解悰品下　程瓚品下　已上三人竝隋朝名

手

尉遲跋質那西國人善畫外國及佛像當時擅名今謂

之大尉遲六番圖外國寶樹圖又有婆羅門圖傳於代

天竺僧曇摩拙义亦善畫隋文帝時自本國來遍禮中

夏阿育王塔至成都雒縣大石寺空中見十二神形便

一一貌之乃刻木為十二神形於寺塔下至今在焉其

寶感
通記

歷代名畫記卷九

唐　張彥遠　撰

唐朝上

唐高祖神堯皇帝太宗皇帝中宗皇帝玄宗皇帝並神

武聖哲藝亡不周書畫備能非臣下所敢陳述

漢王元昌高祖神堯皇帝第七子太宗皇帝之弟少博

學能書畫武德三年封魯王十年封漢王為梁州都督

歷代名畫記

坐太子承乾事廢畫漢賢王圖鞍馬鷹鶻傳於代李嗣真云天人之姿

博綜伎藝頗得風韻自然超舉碼館深崇遺迹罕見在

上品二閻之上　裴孝源云六法俱全萬類不失

漢王弟韓王元嘉亦善書畫天后授之太尉善畫龍馬

虎豹

滕王元嬰亦善畫

閻立德　上品下閻讓字立父毗在隋以丹青知名第八

立德以字行於代

卷中與弟立本俱傳家業武德中為尚衣奉御造袞冕

具載與弟立本俱傳家業武德中為尚衣奉御造袞冕

大衮等六服腰輿傘扇咸得妙制貞觀初為將作大匠

造翠微玉華宮稱旨官至工部尚書封大安縣公顯慶

元年贈吏部尚書幷州都督謚曰康文成公主降蕃圖

並傳　王華宮圖鬥雞圖

於代

立德弟立本〔上下品〕顯慶初代立德為工部尚書總章元

年拜右相封博陵縣公有應務之才兼能書畫朝廷號

為丹青神化初為太宗秦王庫直武德九年命寫秦府

十八學士褚亮為贊〔秦府十八學士駕真圖序曰武德

四年太宗皇帝為太尉尚書令雍〕

歷代名畫記　卷九

州牧左右衛大將軍新命為天策上將軍位在三公上

乃銳意經籍怡神藝學開學館以待四方之士乃降教

曰昔楚國尊賢道先於申穆梁園接士比德至於鄒枚

枚咸以著範前修垂光後烈顧惟菲薄多謝古人高山

仰止能七景慕於是芳蘭始被深冠蓋之游丹桂初叢

廣旄俊乂之士既而場苗蓋寡空留皎皎之姿喬木徒遷

終愧嚶嚶之友所冀通人正訓匡其闕如側席虛佇倦於

齊庭開邃有漸於燕館屬大行臺司勳郎中杜如晦記

室考功郎中房元齡及於志寧軍諮祭酒蘇世長天策

府記室薛收文學褚亮姚察太學博士陸德明孔穎達

主簿李元道天策倉曹李守素秦王記室虞世南參軍

蔡允恭顏相時著作郎記室許敬宗薛元敬太學助教

見咸能垂裾邸第委質藩維或弘禮度而成典則暢詞

益文達典籤蘇晶等或背淮而致千里或通趙以欣三

學而昭風雅優游幕府是用嘉馬宜可以守本官兼文

學館學士及薛收卒微東虞州錄事參軍劉孝孫入館

尋遷庫直閣立本圖形貌其題名字爵里仍教文學褚
亮為之像贊勒成一卷號十八學士並給珍膳分為三
番更直宿於閣每日引見參謁歸休即引論討竟
典商署前載考其得失或夜分而寢又降以溫顏禮數
甚厚由是天下歸心奇傑之士咸思自勵
於時預入館者時所傾慕謂之登瀛州云
又詔畫凌煙閣功臣二十四人圖上自為讚〔貞觀十七年〕〔貞觀十七詔日自〕

古皇王襄崇勳德既勒名於鍾鼎又圖形於丹青是以
甘露良佐麟閣著其美建武功臣雲臺紀其迹司徒趙
國公無忌故司空揚州都督河間元王孝恭故司空蔡
國公如晦故司空相州都督鄭國公文貞公徵司徒梁
公元齡開府儀同三司尚書左僕射申國公士廉開府
儀同三司鄂國公敬德特進衛國公靖特進宋國公瑀
故輔國大將軍揚州都督褒國忠壯公志元輔國大將
軍夔國公弘基故尚書左僕射蔣國公通故陝東道大

行臺尚書右僕射郳節公開山故荊州都督譙襄公紹
故荊州都督邳襄公順德洛州都督郳國公張亮光祿
大夫吏部尚書陳國公侯君集故左驍衛大將軍郯襄
公張公謹左武衛大將軍盧國公程知節故禮部尚書
永興文懿公虞世南故戶部尚書渝襄公劉政會光祿
大夫戶部尚書莒國公唐儉光祿大夫兵部尚書英國
公李勣故徐州都督胡壯公秦叔寶等

公勣勞師旅贊業於草昧翼鴻化於隆平茂績
犯同致忠謹日聞直道模範縉紳固以瞻伊呂而連
戰標奇或授命廟堂闞土方面重氣再朗王畧宣契
獻經綢繆經綸霸圖或學綜經籍德光茂隱
衡邁方名而長驚者矣宜酌故寶引茲盛典可並圖畫
於嘉庸冠晃而長驚者矣宜酌故寶引茲盛典可並圖畫
於凌煙閣念功臣之懷亡謝於前載遊賢之義永貽
於後時天下初定異國來朝詔立本畫外國圖又鄂杜
昆

間有蒼虎為患天皇引驍雄千騎取之虢王元鳳太宗

之弟也彎弓三十鈞一矢斃之召立本寫貌以旌雄勇

國史云太宗與侍臣泛遊春苑池中有奇鳥隨波容與

上愛玩不已召侍從之臣歌詠之急召立本寫貌閣內

傳呼畫師閻立本立本時已為主爵郎中奔走流汗俯

伏池側手揮丹素目瞻坐賓不勝愧赧退戒其子曰吾

少好讀書屬詞今獨以丹青見知躬厮役之務辱莫大

焉爾宜深戒勿習此藝然性之所好終不能舍及為右

相與左相姜恪對掌樞務恪曾立邊功立本唯善丹青

時人謂千字文語曰左相宣威沙漠右相馳譽丹青言

竝非宰相器咸亨元年復為中書令四年薨謚曰文貞

僧悰云閻師與鄭奇態不窮像生變故天下取則　實蒙

自師心意存功外與　裴云閻師張青出於藍人物衣冠

夫張鄭了不相干　裴云閻師張青出於藍人物衣冠

車馬臺閣竝得其妙歷觀古今法則巧思唯二閻楊陸

迥出常表張家父子稍居其次　彥遠云二閻楊陸雖則

最裴云張在閣下此論未當　畫美張家父子品第居

李嗣真云博陵大安難兄難弟自江左

陸謝云亡北朝子華長逝象人之妙號為中興至若萬
國來庭奉塗山之玉帛百蠻朝貢接應門之位序折旋
矩度端簪奉笏之儀魁詭譎怪鼻飲頭飛之俗盡該毫
末備得人情二閣同在上品

田舍屏風十二扇位置經略冠絕古今元和十三年

彥遠大父相國鎮太原詔取之西域圖王知

慎亦榻之永徽朝臣圖昭陵列像圖傳於代

彥遠論曰

前史稱魏明帝起凌雲閣勃章誕題榜工人誤先釘榜
以籠盛誕釣上去地二十五丈及下鬢髮盡白纔餘氣
息遂戒子孫絕此楷法謝安嘗論其事子敬正色荅曰

歷代名畫記

卷九

五

仲將魏之大臣豈有此事若如所說知魏德之不長彥
遠嘗以子敬為有識之言閣令雖藝兼繪事時已位列
星郎況太宗皇帝洽近侍有拔貂之恩接下臣七撞郎
之急豈得直呼畫師不通官籍至於馳名丹青才多輔
佐以閻之才識亦謂厚誣淺薄之俗輕藝娭能一至於
此良可於悒也

張孝師 品下 為驃騎尉尤善畫地獄氣候幽黙孝師曾死
復蘇具見冥中事故備得之吳道玄見其畫因號為地

獄變　寶云迹簡而麁　物情皆備　除謝顧

陸張楊田董展外難可比儔也

范長壽（品下）師法於張僧繇官至司徒校尉士圖傳於代（風俗圖醉道　寶云　圖僧傳……擘打）

僧宗云博贍繁多有所雅尚至於位置不煩經略（寶云）

傳於代人云是僧繇所作非也（劉竦傳記云張僧繇為　醉僧圖飲錢與立本）

何長壽與范同師法但微劣於范范何並有醉道士圖

添筆落紙如飛雖　乏窈窕終是好手（添冠子改為道　士殊不近理矣）

尉遲乙僧于闐國人父跋質那（其第八卷乙僧國初授宿衛）

官襲封郡公善畫外國及佛像時人以跋質那為大尉

遲乙僧為小尉遲畫外國及菩薩小則用筆緊勁如屈

鐵盤絲大則灑落有氣僧悰云外國鬼神奇形異貌

中華罕繼（寶云澄思用筆雖與中華道殊）然氣正迹高可與顧陸為友

劉孝師僧悰云點畫不多皆為樞要鳥雀奇變甚為酷

似彥遠云不止鳥雀曾見畫他物皆好

靳智異僧悰云祖述仲達改張琴瑟變夷為夏摹自斯

人在范長壽上

堂亦稱其善有降雲蓄雨之感

雞雖盡其形態觜眼腳爪毛彩俱妙曾於禁中畫五龍

馮紹正開元中任少府監八年為戶部侍郎尤善鷹鶻

解倩善鬼神

楊坦楊仙喬並長安人好圖佛寺鬼神坦子爽亦善之

程雅善雜畫

陳靜心善寺壁弟靜眼善地獄山水

亦曾模之

盤車圖余

姜皎上邽人善鷹鳥元宗在藩時為尚衣奉御有先識
之明元宗即位累官至太常卿封楚國公開元五年以
事廢復拜銀青光祿大夫祕書監十年復流欽州

李思訓宗室也即林甫之伯父早以藝稱於當時一家
五人並善丹青　思訓弟思誨思誨子林甫　林甫弟昭道林甫姪湊　世咸重之書
畫稱一時之妙官至左武衛大將軍封彭城公開元六
年贈秦州都督其畫山水樹石筆格遒勁湍瀨潺湲雲
霞縹緲時覩神仙之事窅然巖嶺之幽時人謂之大李

監

殷懿　　殷季友　　許琨　　同州僧法明已上

四人並開元中善寫貌常在内庭畫人物海内知名時

錢國養未出

上唐朝七聖圖高祖及諸王圖太宗自定輦
上圖開元十八學士圖並殷懿章無忝為

之傳

於代法明開元十一年勅令寫貌麗正殿諸學士欲畫

像書贊於含象亭以車駕東幸遂停初詔殷懿季友无

喬等分貌之粉本既成遷回未上絹張燕公以畫人手

雜圖不甚精乃奏追法明令獨貌諸學士法明尤工寫

歷代名畫記

卷九

八

貌圖成進之上稱善藏其本於畫院後數年上更索此

圖所由惶懼賴康子元先寫得一本以進上令卻送畫

院子元復自收之子元卒其子貨之莫知所在今傳楊

本張說徐堅賀知章趙冬曦康子元侯行果章述敬會

本真趙元黙東方顥李子釗呂向毋煛陸去泰咸廣業

余欽孫季良都十七八人其

官爵具章述集賢記下卷

錢國養開元中善寫貌海内推服寶云衣裳凡鄙未離

賤工格律自高足為出衆彦遠云既言凡鄙賤工安得

格律出衆寶君兩句之評自相矛盾

王定官至中散大夫尚方令貞觀初得名筆迹甚快本

訓戒圖僧悰云骨氣不足道媚有餘菩薩聖僧往往驚傳於代

絕在張孝師上 彦遠按定畫骨氣不甚長既亡骨氣何故驚絕

梁寬吳智敏僧悰云智敏師於寬神襟更為俊逸

康薩陀 中品 或云善陀 為振威校尉僧悰云亡所服膺虛心自云善陀

悟初花晚葉變態多端異獸奇禽千形萬狀在尉遲下

寶云曾見畫人馬措意 非高悰公之評過當也

王知慎 中品 下 終少府監工書畫與兄知敬齊名僧悰云

師於閻寫貌及之筆力爽利風采不凡在張孝師下

王韶應 或作 韶隱 畫鬼神深有氣韻 寶云善山水人馬

櫃智敏 中品 為振武校尉寶云師於董伯仁僧悰云棟宇

樓臺陰陽向背歷觀前古獨見斯人 游春戲藝圖傳於世

楊須跋 中品 品 趙武端 下品 范龍樹 下品 周烏孫 下品 楊德紹 品已

上五人國初櫃名

陳義國初丞相叔達之元孫尤工寫貌元宗少與之善

特承恩遇為武德南薰中尚等使銀青光祿大夫少府

左文通善寫貌

王陁子善山水幽致峯巒極佳世人言山水者稱陁子

頭道子脚寶云山水獨運別是一家絕迹幽
居古今無此時有牛昭亦善善山水

吳道元陽翟人好酒使氣每欲揮毫必須酣飲學書於

張長史旭賀監知章學書不成因工畫曾事逍遙公韋

嗣立為小吏因寫蜀道山水始創山水之體自為一家

其書迹似薛少保亦甚便利初任兗州瑕丘縣尉初名

道子元宗召入禁中改名道元因授內教博士非有詔

不得畫張懷瓘云吳生之畫下筆有神是張僧繇後身

也可謂知言官至寧王友開元中將軍裴旻善舞劍道

元觀旻舞劍見出沒神怪既畢揮毫益進時又有公孫

大娘亦善舞劍器張旭見之因為草書杜甫歌行述其

事是知書畫之藝皆須意氣而成亦非懦夫所能作也

時有張愛兒學吳畫不成便為捏塑元宗御筆改名仙

喬雜畫蟲豸亦妙時又有楊惠之亦善塑像負名程進

雕刻石作隨韓伯通善塑像天后時尚方丞竇弘果毛

婆羅苑東監孫仁貴德宗朝將軍金忠義皆巧絕過人

此輩並學畫迹皆精妙格不甚高吳

畫明皇受籙圖十指鍾旭傳於代

彥遠云親叔祖主

董崿字重照開元中多在尚方善雜畫車牛最推其妙

武靜藏善畫鬼神有氣韻院地獄變畫甚妙

居一月稜伽果卒　釋教畫源傳於代時有姚景仙能畫寺壁

子筆力常時不及我今乃類我是子也精爽盡於此矣

三門銳意開張頗臻其妙一日吳生忽見之驚歎曰此

於京師畫總持寺三門大獲泉貨稜伽乃竊畫莊嚴寺

尺間山水寥廓物像精備經變佛事是其所長吳生嘗

盧稜伽吳弟子也畫迹似吳但才力有限頗能細畫兄

生處但下筆稍細耳

楊庭光與吳同時佛像經變雜畫山水極妙頗有似吳

而畢然六法不及師之門牆亦好細畫

張藏亦吳弟子也裁度廳快思若湧泉寺壁十間不旬

李生失名亦吳弟子善畫地獄佛像有類於吳而稍劣

藏布色濃澹無不得其所

瞿琰者吳生弟子也吳生每畫落筆便去多使琰與張

客員外郎諗有吳畫說一篇集在本集

將軍其人也

思訓弟思誨即林甫之父也善丹青任朝散大夫楊州

參軍贈禮部尚書

李林甫亦善丹青高詹事與林甫詩曰與中唯白雲身

外即丹青余曾見其畫迹甚佳山水小類李中舍也

思訓子昭道林甫從弟也變父之勢妙又過之官至太

子中舍創海圖之妙世上言山水者稱大李將軍小李

將軍昭道雖不至將軍俗因其父呼之李湊林甫之姪

也初為廣陵倉漕天寶中貶明州象山縣尉年二十八

尤工綺羅人物為時驚絕本師閻令但筆迹疎散言其

媚態則盡美矣

薛稷字嗣通河東汾陰人道衡之曾孫元超之從子詞

學名家軒晃繼代景龍末為諫議大夫昭文館學士多

才藻工書畫薛稷外祖魏文貞公富有書畫多真褚手

寫表疏稷銳意模學窮年忘倦厯宗在藩特見引遇拜

黃門中書侍郎禮工二尚書先天二年官至銀青光祿

大夫太子少保封晉國公實懷貞累之年六十九尤善

花鳥人物雜畫畫鶴知名屏風六扇鶴樣自稷始也

郎餘令有才名工山水古賢爲著作佐郎撰自古帝王

圖按據史傳想像風采時稱精妙

曹元廓天后朝爲朝散大夫左尚方令師於閤工騎獵

人馬山水善於布置天后鑄九鼎於東都備九州山川

物產詔命元廓畫樣鍾紹京書時稱絕妙隋陳武德貞

觀永徽等朝臣圖高祖太宗諸子圖秦府學士圖凌煙圖皆傳於代徐嶠之題

後周北齊梁

府學士圖凌煙圖皆傳於代徐嶠之題

歷代名畫記

卷九

神抱野雞
實爲妙手

劉行臣善畫鬼神精采灑落類王韶應　東都敬愛寺山
亭院西壁有鬼

　　　　　　　　東都敬愛寺山

暢晉善山水似李將軍妙過於父　鞏子明瑾

楊寧楊昇　望賢宮圖　安祿山眞　張萱已上三人並善畫人物寧以

開元十一年爲史館畫直萱好畫婦女嬰兒有妓女圖
兒圖按羯鼓圖鞦韆圖號
國婦人出遊圖傳於代

乳母將嬰

尹琳善佛事鬼神寺壁高宗時得名筆跡快利今京師

慈恩寺塔下南面師利普賢極妙李仲昌李嗣眞竝琳

弟子竑善佛道鬼神

韋无忝官至左武衛將軍善鞍馬鶻象鷹圖雜獸皆妙

韋无蹤乃无忝弟善寫貌

朱抱一開元二十二年直集賢善寫貌寫張果先生真

為好事所傳

竺元標　蔡金剛　毛嵩　姚彥山

程遜善寺壁禽獸　董好子善人物

楊樹兒　耿純

任貞亮開元中直集賢時有畫直邵齋欽書手吉曠皆

解畫

陸庭曜善人物鬼神有氣韻

暢整　李相國　陳慇　劉智敏

史晟　何君墨　京元成　崔霞

冷元琇　馬光業　李蠻子　馬樹鷹

祝丘　潘細衣　周子敬　段去惑

僧智瓌善山水鬼神氣韻洒落

巳上皆唐朝以來名手畫工有同蘭葯叢芳競秀故其

蹤跡布在人間姓名不可遺棄

殷令名陳郡人父不害累代工書畫

殷聞禮字大端書畫妙過於父武德初為中書舍人趙

王友兼侍讀弘文館學士

聞禮子仲容天后任大僕祕書丞工部郎中申州刺史

善書畫工寫貌及花鳥妙得其真或用墨色如兼五采

談皎善畫人物有態度衣裳潤媚但格律不高大醫寬

衣亦當時所尚與李湊小相類武惠妃舞圖佳麗寒食圖佳麗伎樂圖並傳於

代

僧金剛三藏獅子國人善西域佛像運筆持重非常畫

可擬東京廣福寺木塔下素像皆三藏起樣

張遵禮善畫鞍馬器械用筆暫差小畫尤佳

王紹宗瑯瑘人父修禮畫跡與殷仲容相類亦善書官

至祕書少監

宋令文亦書畫皆善

司馬承禎字子微自梁陶隱居至先生四世傳授仙法

開元中自天台徵至天子師之十五年至王屋山勅造

陽臺觀居之嘗畫於屋壁又工篆隸詞采眾藝皆類於

隱居焉制雅琴鎮銘美石為之詞刻精絕開元中彥遠

高王父河東公獲受教於先生元宗皇帝制碑具述其

妙二十三年屍解白雲從堂戶出雙鶴繞壇而上年八

十一諡一貞一先生

盧鴻一名浩然高士也工八分書善畫山水樹石隱於

嵩山開元初徵拜諫議大夫不受

釋脩然俗姓裴氏楚州刺史思訓之子為人恢誕強學

不成一名好朋從詩酒善丹青工山水曉解絲竹卒年

三十九開元中嘗夜醉臥街犯禁乃為詩曰遍莫驚驚

須傾滿滿盃金吾如借問報道王山頹官不

罪之或

云道士

鄭虔高士也蘇許公為宰相申以忘年之契薦為著作

郎開元二十五年為廣文館學士饑窮轗軻好琴酒篇

詠工山水進獻詩篇及書畫元宗御筆題曰鄭虔三絕

與杜甫李白為詩酒友祿山授以偽水部員外郎國家

汊復聚台州司戶

鄭逾善山水天寶中得名於梁宋間逾即鄭遷之弟遷

有書名

李果奴筆迹調潤天寶中寫貌人物及僧佛為妙元和

中有李士昉即果奴之孫筆迹及其祖寫貌極妙在翰

林集賢

曹霸魏曹髦之後髦畫稱於後代霸在開元中已得名

天寶末每詔寫御馬及功臣官至左武衞將軍

韓幹大梁人王右丞維見其畫遂推獎之官至太府寺

丞善寫貌人物

龍朔功臣圖姚崇及安祿山圖元宗尤

試馬圖寧王調馬打毬圖並傳於代

工鞍馬初師曹霸後自獨擅杜甫曹霸畫馬歌曰弟子

韓幹早入室亦能畫馬窮殊相幹惟畫肉不畫骨忍使

驊騮氣凋喪彥遠以杜甫豈知畫者徒以幹馬肥大遂

有畫肉之誚古人畫馬有八駿圖或云史道碩之迹或

云史秉之迹皆螭頸龍體矢激電馳非馬之狀也晉宋

韓幹名畫記

間顧陸之輩已稱改步周齊間董展之流亦云變態雖權奇滅没乃屈産蜀駒尚翹舉之姿乏安徐之體至於毛色多騧騮騅駮無他奇異元宗好大馬御廐至四十萬遂有沛艾大馬命王毛仲為監牧使燕公張説作駉牧頌天下一統西域大宛歲有來獻詔於北地置群牧筋骨行步久而方全調習之能逸異並至骨力追風毛彩照地不可名狀號木槽馬聖人舒身安神如據狀榻是知異於古馬也時主好藝韓君間生遂命悉圖其駿則有玉花驄照夜白等時岐薛寧申王廄中皆有善馬幹並圖之遂為古今獨步禄山之亂沛艾馬種遂絶韓君端居亡事忽有人詣門稱鬼使請馬一匹韓君畫馬焚之他日見鬼使乘馬來謝其感神如此弟子孔榮為上足陳閎為永王府長史善畫寫貌工鞍馬與韓同時家蓄圖畫絶多寫安禄山圖元宗馬射圖上黨十九瑞圖

孟仲暉善寫貌筆迹類陳閎又似閻令時有杜景祥王允之竝畫迹與仲暉相近也

七

卷二

圖定卷易圖卦

圖定卷易圖卦

歷算全書 卷五

歷算全書 卷五

五

五

唐朝下

歷代名畫記
卷十

右丞指揮工人布色原野簇成遠樹過於朴拙復務細

以水木琴書自娛工畫山水體涉今古人家所蓄多是

學知名官至尚書右丞有高致信佛理藍田南置別業

王維字摩詰太原人年十九進士擢第與弟縉並以詞

巧翻更失真清源寺壁上畫輞川筆力雄壯常自制詩

曰當世謬詞客前身應畫師不能捨餘習偶被時人知

誠哉是言也余曾見破墨山水筆迹勁爽

張諲官至刑部員外郎明易象善草隸工丹青與王維

李頎等為詩酒丹青之友尤善畫山水王維答詩曰屏

風誤點惑孫郎團扇草書輕內史李頎詩曰小王破體

閑文策落日梨花照空壁書堪記室妬風流畫與將軍

作勍敵作書
畫一

欽定四庫全書

歷代名畫記卷十

唐 張彦遠 撰

唐朝下

王維字摩詰太原人年十九進士擢第與弟縉並以詞
學知名官至尚書右丞有高致信佛理藍田南置別業
以水木琴書自娛工畫山水體涉今古人家所蓄多是
右丞指揮工人布色原野簇成遠樹過於朴拙復務細

巧翻更失真清源寺壁上畫輞川筆力雄壯常自製詩
曰當世謬詞客前身應畫師不能捨餘習偶被時人知
誠哉是言也余曾見破墨山水筆跡勁爽

張諲官至員外郎明易象善草隸工丹青與王維
李頎等為詩酒丹青之友尤善畫山水王維答詩曰屏
風誤點惑孫郎團扇草書輕內史李頎詩曰小王破體
閑文策落日梨花照空壁詩堪記室妒風流畫與將軍

劉方平工山水樹石沇國公李勉甚重之

王熊官至潭州都督嘗與張燕公唱和詩句善湘中山

水似李將軍　意緒不甲但　筆迹輕細

王象有畫鹵簿圖傳於代或云是熊兄弟

田琦雁門人武德功臣兵部尚書德平之子善寫貌人

物官至汝南太守尤善八分小篆寫洪崖子橘木圖傳

於代

竇師綸字希言納言陳國公抗之子初為太宗秦王府

諮議相國錄事參軍封陵陽公性巧絕草創之際乘輿

歷代名畫記

卷十

皆闕粉無益州大行臺檢校修造凡創瑞錦宮綾章彩

奇麗蜀人至今謂之陵陽公樣官至太府卿銀坊卿三

州刺史高祖太宗時內庫瑞錦對雉鬥羊翔鳳游麟之

狀創自師綸至今傳之江都王緒霍王元軌之子太宗

皇帝猶子也多才藝善書畫鞍馬擅名垂拱中官至金

州刺史

時有李逖者工畫蠅蝶蜂蟬之類

李平鈞宗室也淮安王神通之曾孫為江陵府法曹參
軍汴州陳留令平鈞工山水小篆平鈞之叔李權工八
分叔樞工小篆

崔陽元　李炅　張惟亘

張通　耿昌言　弟昌期　李滔

巳上七人並工山水雜畫通尤精贍

周古言中宗時善寫貌及婦女有宮禁寒食圖秋思圖傳於代

時有嚴果楊德本並吳人善雜畫

歷代名畫記　卷十

貝俊一作具俊　李韶　魏晉孫　崩廉

巳上四人並工花鳥俊尤工鷹鶻崩廉最為妙

白旻官至同州澄城令工花鳥鷹鶻嘴爪纖利甚得其

趣旻善歌常醉酣歌闌便畫自娛

韓嶷工婦女雜畫善布色

時有宇文肅善小畫金玉鐫刻之樣禽獸葩葉之能

高江車道政二人並善寫貌道政兼善佛事迹簡而筆

健

三

嗣滕王湛然貞元四年為殿中監兼禮部尚書鷹鶻使

善畫花鳥蜂蝶官至檢校兵部尚書太子詹事年八十

四

齊皎高陽人父玘檢校兵部郎中皎善外蕃人馬工山

水學小楷古篆善射曉音律建中四年官至澤州刺史

年五十五彥遠大父高平公有重名皎每以書畫及篇

章求知焉至今予家篋笥中猶有齊君少年時書畫觀

其意趣雖高筆力未勁後見其功用至者則雄壯矣本

皎名
皎 皎

皎弟暎性雅正好學善山水貞元元年為中書舍人二

年拜中書侍郎平章事河陽縣男三年貶官夔州七年

為桂府觀察使轉江西觀察使十一年贈禮部尚書謚

曰忠年四十八初暎於東都舉進士應宏詞彥遠會祖

魏國公為河南尹薨留守愛其藝每加獎焉奏為河南

府參軍及魏公罷相為左僕射暎已拜相矣魏公再入

中樞暎已貶官夔州名暎一本名暎

朱審吳興人工畫山水深沉瓌壯險黑磊落湍瀨激人

平遠極目建中年頗知名

王宰蜀中人多畫蜀山玲瓏窈窅巉差巧峭

畢宏大歷二年為給事中畫松石於左省廳壁好事者

皆詩之改京兆少尹為左庶子樹石擅名於代樹木改

情爽邁善山水高奇雅贍大歷四年為中書門下侍郎

楊公南名炎華陰人孝著三代門樹六關風骨俊秀神

步變古自宏始也

歷代名畫記

卷十

建中元年遷左僕射流貶年五十五余觀楊公山水圖

五

想見其為人魁岸洒落也

史瓚官至省郎善畫鞍馬人物

裴諝字士明河東人以明經進畫山水極有思貞元中

為吏部侍郎無御史大夫四年為太子賓客左散騎常

侍五年為兵部侍郎河南尹貞元元年年七十五贈兵

部尚書

韋鑒工龍馬妙得精氣

韦鉴工画马善师曹霸

悟空画

韦氏弟兄俱善画后官至御史大夫贞元中年又十七载卒

悟空于兴善寺画人夫大夫四年又大于宝容寺花锦堂

养荣室中图阁阇东人众师勤台山水并甚男贞元中

女养宜至善须善画姨昌人画

感兔其为人甚贞元入朝画人画

其中为韦偃孟奖状须年五十余养县公山水图

静爽动善山水高岳群戏大联四年中书门下补阙

绵公南本类韩人奉善三十六门图凤冒发卷奉

忠爱舌白处故为

智许人夫朱三女为状见为□勤白养外卦木文

韦安大凤三年为检举中画并日洛□武道□役车奉

五年图中人众画遣山令野森参善应斯

平安水自其中年题味守

平室忠县人工画山水散应森长侪珍数人

其家弱妻已練為衣裹矣唯得兩幅雙柏一石在焉嗟

松石幛士人云亡兵部李員外約好畫成癖知而購之

在幀蒼忙擊落此幛最見張用思處又有士人家有張

墨未了值朱泚亂京城騷擾璪亦登時逃去家人見畫

故予家多璪畫曾令畫八幅山水障在長安平原里破

畢宏於是閣筆彥遠每聆長者說璪以宗黨常在予家

或以手摸絹素因問璪所受璪曰外師造化中得心源

載初畢庶子宏擅名於代一見驚歎之異其唯用秃毫

馬尤工樹石山水自撰繪境一篇言畫之要訣詞多不

校祠部員外郎鹽鐵判官坐事貶衡州司馬移忠州司

張璪字文通吳郡人初相國劉晏知之相國王縉奏檢

蓋之形宛轉極盤龍之狀　天竺胡僧圖渡水僧圖　小馬故牧圖並傳於代

也咫尺千尋駢柯攢影煙霞翳薄風雨颼颼輪囷盡偃

舉善小馬牛羊山原俗人空知鷗善馬不知松石更佳

鹽子鷗工山水高僧奇士老松異石筆力勁健風格高

鑒弟鑿工山水松石雖有其名未免古拙

惋久之作畫練紀述張畫畫意極盡此不具載具李約員外集

陳曇字元成國初丞相叔達之後明經出身河南尹嚴

武薦為參軍昭義軍節度使李抱真辟為從事貞元十

四年官至衡州刺史邕管經畧使薫御史中丞工山水

有情趣但峯巒少奇佐佐繁碎

顧況字通翁吳興人不修檢操頗好詩詠善畫山水初

為韓晉公江南判官入為著作佐郎久次不遷乃嘲誚

宰相為憲司所劾貞元五年貶饒州司戶居茅山以壽

歷代名畫記　卷十　七

終有畫評一篇未為精當也

鄭審事具彥遠所撰彩牋詩集

沈寧亦善樹石山水有格律師張璪而少劣

劉商官至檢校禮部郎中汴州觀察判官少年有篇詠

高情工畫山水樹石初師於張璪後自造真為意自張

眨寙後嘗惆悵賦詩曰苔石蒼蒼臨澗水谿風裊裊動

松枝世間惟有張通會流向衡陽那得知或云商後得

道

此亦為開皇末年會於京兆延興寺時比校崑崙
須彌諸圖并其畫日皆相稱揚師訪其高下……
高下立畫山水樹石獨得其妙自然凮墓崖壑自
盧南官至給事黃門侍郎中本作驃騎諮議參軍
水窜不善畫石山水古今谷詳而名冠諸公之先
鎮審事具彭城集名位迷於載集
繪畫至一篇未能詳備焉
聯六今畫山

卷十

宰相王廙字世將六五年與羲作……畫山水人……
安邦信公立功德……人為著作凡水下數名重嚴
盧光宰前後凡人不易論樂名我善畫山水木石
麻前紋曰峯崙之言在空中矗率
四十宣至驃騎諮議參軍器尌中本工山水
右虞名參軍面蒸軍……真蹤尌貞六十
東墓宰示水畫畝左時工動父餐器出良民南不聹
宮人……水畫擬得……盡……書工不具蓮
                                        虞伏綜
                                        真奉志

劉整任祕書省正字善山水有氣象時有劉之奇亦能

山水

邊鸞善畫花鳥精妙之極至於山花園蔬七不偏寫為

右衛長史花鳥冠于代而有筆迹

于錫善畫花鳥及雞

強穎善水鳥

梁廣工花鳥善賦彩筆迹不及邊鸞

陳庶揚州人師邊鸞花鳥尤善布色

歷代名畫記 卷十 八

陳恪工山水師張鄭有氣韻人物鞍馬蟲禽竝精

于積善山水妙過於父 陳恪 一云

戴重席工子女極精細

周昉字景元官至宣州長史初効張萱畫後則小異頗

極風姿全法衣冠不近閭里衣冠勁簡彩色柔麗菩薩

端嚴妙創水月之體 蜂蝶圖按箏圖楊真人陸真人圖五星圖傳於代

趙博文尚書左丞涓之子也畫子母犬兎善寫貌應進

士不第兄博宣亦解畫

太原王朏終劍南剌史師肪畫子女菩薩但不及肪之

精密余大父高平公首末提獎之

鄭寓善果之後也學肪畫天王菩薩有思

韓滉字太沖官至金紫光祿大夫渭東西兩道節度使

左僕射同平章事封晉國公貞元三年年六十五贈太

傳諡忠肅工隸書章草雜畫頗得形似牛羊最佳

戴嵩韓晉公之鎮浙右署為巡官師晉公之畫不善他

物唯善水牛而已田家川原亦有意

嵩弟嶧亦善水牛

李漸官至忻州剌史善蕃人蕃馬騎射射雕放牧川原

之妙筆迹氣調古今七儔

子仲和能纗其藝而筆力不及其父今相國令孤公奕

代為相家富圖畫即忻州外孫家有小畫人馬幛是尤

得意者憲宗會取置禁中後却賜還嘗以示余

蕭祐畫山水甚有意思為桂州觀察使

周太素終尚書郎善畫花鳥佛像

麹庭善山水格不甚高但細巧耳

蕭悦協律郎工竹一色有雅趣

張志和字子同會稽人性高邁不拘檢自稱烟波釣徒

著元真子十卷書迹狂逸自為漁歌便畫之甚有逸思

肅忠朝官至左金吾衛錄事參軍本名龜齡詔改之顏

魯公與之善陸羽等嘗為食客

倭莫陳厦宇重搆工山水用意極精

會稽僧道芬

鄭町處士 滎陽 字人

梁洽處士

十

天台項容處士

青州吳恬處士 字建康 一名玢

鄭町淡雅梁洽美秀項容頑

已上並畫山水道芬格高

溫吳恬險巧恬有畫山水錄記平生所畫在絹素者凡

百餘面傳之好事自云初夢寐有神人指授畫法恬好

為頑石氣象深險能為雲而氣象爽格

王黙師項容風顛酒狂畫松石山水雖乏高奇流俗亦

好解後以頭髻取墨抵於絹畫王黙早年授筆法於台

州鄭廣文虔貞元末於潤州歿舉柩若空時人皆云化

藝外名畫記

會稽卧雲叟

天台羅容頁士　　青代泉胡真士

去平生大有奇事顧著作知新亭監時默請為海中都

巡問其意云要見海中山水耳為職半年解去爾後洛

筆有奇趣顧生乃其弟子耳彥遠從兄監察御史厚與

余其道此事然余不甚覺默畫有奇

題外谷畫竹卷十

題外谷畫竹

卷十

十

總校官候補知府臣葉佩蓀

校對官中書臣盧遂

謄錄監生　臣趙應鐇